★ ★ ★ ★ ★

# 我是侠盗罗宾汉

据［法］克利斯提昂·约里波瓦同名绘本动画片改编

郑迪蔚 / 编译

21 二十一世纪出版社集团
21st Century Publishing Group

下蛋，下蛋，总是下蛋！

生活中肯定有比下蛋更好玩的事情！

我当了一回绿林好汉……

秋日的午后，大家坐在草坪上，边晒太阳边听鸬鹚佩罗讲他的历险故事。可偏偏小胖墩要玩新花样。

“我要让你们见识见识谁才是真正的公鸡！”他说着从树梢上急速滑下……

“有什么了不起，看你能飞多远！”卡梅利多叉着腰很不服气。

借着俯冲下来的力道，小胖墩

原想来个漂亮的后空翻……

可他没想到失控的身体正巧砸在木门上。

小胖墩好不容易将嘴从门上拔下来，坐在地上直犯晕，但还不忘逞强：

“这是失误，不算！冠军永远属于我！”

“别理他，小凯丽，他就会嘴硬！我们去听佩罗讲和企鹅打架的故事。”

“你敢嘲笑我！”小胖墩拦住卡梅利多的去路。

“你简直是天下无双！我说冠军，要不要先跟我学学倒立再飞啊？”

“你敢再说一遍！”小胖墩恼羞成怒。

“打架？你还真不是我的对手！”卡梅利多也生气了。

刺猬兄弟坐在墙头看热闹。

“尼克，我赌小胖墩赢，一个鼻涕虫。”

“成交！”

“都别打了！”卡门跑来劝架，可已经晚了。

“我当时钓到了一条足足四百公斤重的章鱼。忽然，冲出来一群戴着面具的大企鹅要来抢，它们力大无比，把我团团围住……”

“上次他好像说是一百公斤重？”卡梅拉悄悄问皮迪克。

“我挥舞章鱼巨大的触须，逼走了企鹅的第一次进攻，但他们越聚越多，足足有两万五千多只大企鹅朝我扑来，尽管我势单力薄，但是我坚信正义与我同在……”

此时，鸡舍里发生的一切被在外窥视的坏蛋田鼠逮到了机会。

“哈哈，讲故事的讲故事，打架的打架，趁乱赶快进去偷鸡蛋！”田鼠普老大率先越过墙头。

“克拉拉，别磨磨蹭蹭的，快跳！”细尾巴也跟着跳进院子。

鸡舍里安静极了，母鸡们正在专心孵蛋。

普老大贪婪地流着口水：“鸡蛋！好多的鸡蛋！”

“头儿，你太英明了！正是动手的最佳时机！”

“哎哟！我的脖子！”

“头儿！我的脖子摔歪了。”

“等着，我让你恢复原形。”

普老大揪住克拉拉的头使劲一拧，却用力过头撞在谷仓的开关上。

“糟糕，动静大了！快拿鸡蛋！”

“遵命，头儿！”田鼠细尾巴趁乱迅速地将鸡蛋放到包里。

随着谷仓机器轰隆隆地不停往下倾倒，鸡舍里到处散落着谷子。

凯丽姨妈也被响声惊醒了：“啊！小偷！我的鸡蛋！”

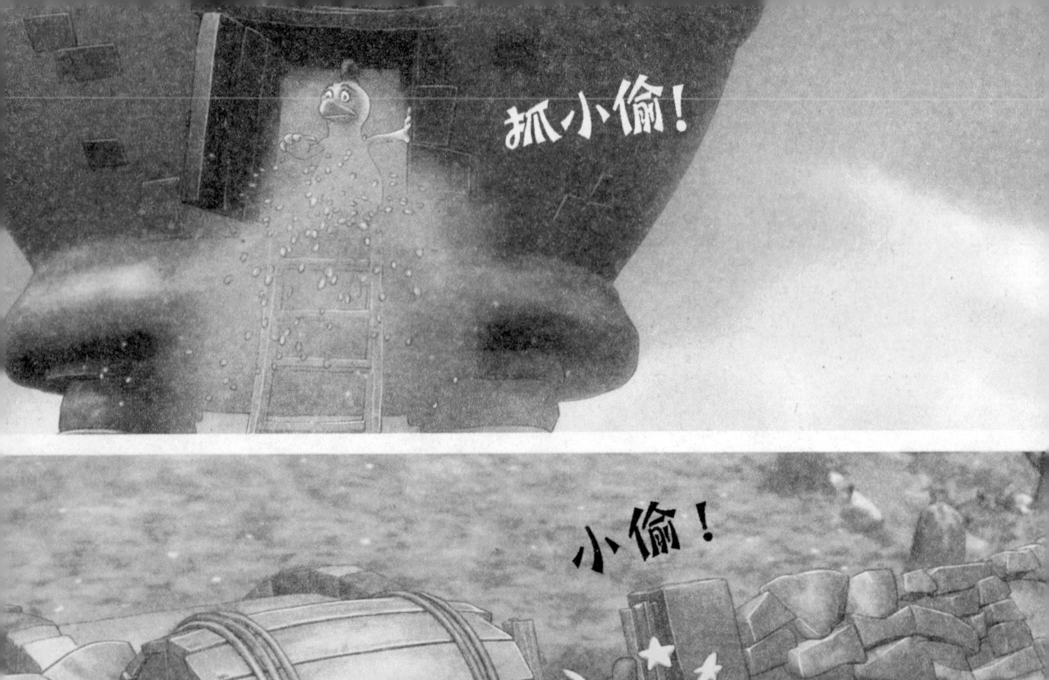
抓小偷!

小偷！

“干得漂亮，
细尾巴！”

“在那里！”卡门指着逃跑的坏蛋田鼠。

哎哟！

“他们会把我的弟弟妹妹炒来吃吗？”小凯丽担忧地问。

“永远都不可能，小凯丽！我们农场未来的大公鸡完全有能力把他们救出来。对吗，卡梅利多？”

“我一定会把他们安全带回来！这是我的荣誉！”

“这才像我的孩子，但要注意安全，儿子。”

三个小伙伴很快找到了坏蛋田鼠。

“一会儿我和卡梅利多出去引开他们，你去把鸡蛋拿回来。”卡门对贝里奥说。

“为什么是我？”贝里奥吓得直发抖。

“头儿，今天这道炒鸡蛋是我姑妈克尼尼的食谱。”

“那又怎么样？”普老大不耐烦地说。

“我必须去摘点香草，马上回来。”

田鼠克拉拉一走，卡梅利多和卡门跑出来对着普老大跳舞。

“啦啦啦，我们的屁屁够不够肥？”

“哇，送上门的果木烤鸡！”田鼠细尾巴瞪大了眼睛。

“香草炒鸡蛋外加烤鸡！”

卡梅利多和卡门见已经吸引了两个坏家伙的注意力，便撒腿就跑。

“给我抓住他们！”普老大紧随其后。

“放心吧，头儿，他们一个都跑不了！”

贝里奥还是不敢跳出灌木丛。

“他们走了，我……我必须过去……拿……”

“你要去哪儿？我也要去。”

克拉拉举着把香草突然冒出来。

贝里奥吓得跃过灌木丛，

抄起鸡蛋飞奔。

“我拿到鸡蛋了！卡门！”

“小偷！还我鸡蛋！”克拉拉在后面追。

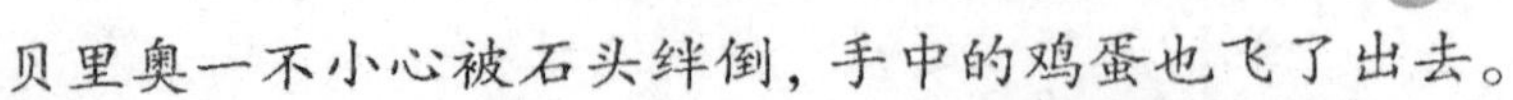

贝里奥一不小心被石头绊倒，手中的鸡蛋也飞了出去。

“不好！鸡蛋飞了！”

恰好普老大和细尾巴距离不远，他们伸手接住鸡蛋就要往回跑。

“头儿，今天是什么好日子？天上掉鸡蛋！”

卡门、卡梅利多和贝里奥眼看着鸡蛋又被夺了回去，心情沮丧极了。

“这可怎么办呀？”

突然，两支箭先后落在三个小伙伴身边。

贝里奥吓得趴在地上：“救命！我要回家！”

“站住！小偷！是你们偷了我的帽子吧？要是你们的鸡冠被偷了是什么感觉？”

“我们什么也没偷！”卡梅利多大声地反驳道。

绿衣侠从树上跳下来：“那你们跑到森林里做什么？”

“是不是一顶墨绿色的帽子，上面还插着根羽毛？”卡门问。

“完全正确，这顶帽子是我罗宾汉的标志。那还是我小时候奶奶亲手缝制的……”回忆起奶奶时，罗宾汉眼中噙满泪水，“你是怎么知道的？”

“我知道，是被那伙坏蛋田鼠拿走了，他们还偷了我们的鸡蛋。”卡梅利多抢着说。

“也许我们可以去找他们算账！”卡门建议。

“好！我要给小偷们点教训！”

罗宾汉抽出一支箭。

**拉弓——搭箭——瞄准——嗖！**

射出去的箭就像长了眼睛似的，兜了一圈，啪！应声落在贝里奥脚边。

“啊！它还会采蘑菇？”

“你们知道打一场漂亮仗的秘诀吗？”罗宾汉问。

三个小伙伴摇摇头。

“哈哈，秘诀就在树林里！”
罗宾汉跳上树。
“跟我来！”

“记住，打个漂亮仗，计划做周密！苦练基本功，临阵才有用！”

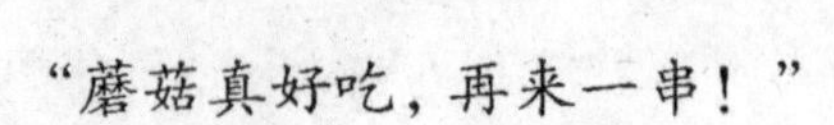
“蘑菇真好吃，再来一串！”

“现在谁能告诉我，打个漂亮仗还有什么秘诀？”

“我知道，我知道！一看见田鼠，我们就跳出来大喊‘不许动’！”卡梅利多得意地说。

“哈哈，傻瓜才不动呢！他们早跑了。我觉得要给敌人来个突然袭击！”

“卡门说得没错，制胜秘诀就是：战术要奏效，绝不能轻敌！占领制高点，弓箭是武器！出奇能制胜，伏击是关键！打得敌人落花流水……

“克拉拉，我们饿死了！”

“稍等，头儿。还缺几种香草，必须要凑齐四百六十四种不同口味，还必须全部是新鲜的香草。”

“开什么玩笑，蠢货！要么现在就炒，要么我就把鸡蛋生吞了。”

“快点，克拉拉，别磨磨蹭蹭的！”

“小偷！束手就擒吧！”罗宾汉和小鸡们瞧准时机，给坏蛋田鼠来了个突然袭击……

普老大没想到如此隐蔽的地方都被找到了。

“他们怎么从树上飞下来？真倒霉！”

“头儿，还炒鸡蛋吗？”克拉拉端着锅走过来。

“小偷！还我帽子！你们要为此付出代价！”

普老大死死地抱着帽子：“谁说是你的？这里面有我的鸡蛋，休想把帽子拿走！”

“伙计们，瞄准！”

“不关我的事，真的……”

“搞定克拉拉！”

“头儿，我们逃吧，他要杀了我们……”

接招！

啪！

“搞定细尾巴！”

“哦不！危险！”

贝里奥看见小鸡们纷纷从蛋壳里跳出来……

“现在轮到你了！普老大！”罗宾汉拉弓，搭上六支箭，“我要让你知道偷盗的后果！”

“等一下！大侠！你听我解释……”

普老大装出一副可怜的样子，试图拖延时间，眼睛却在寻找逃跑的路线。

“我对您的敬仰之心天地可鉴，我只是借您的帽子一用……”

罗宾汉才不听他的废话，箭已射出……

“太过分了，我还没说完呢！”

普老大朝最近的一棵大树跑去，躲过了射来的箭。

“好险！什么大侠，敢跟我斗！”

“咕咕，跟妈妈走，咕咕。”

咕咕！

“怎么只剩一个完整的蛋了？”克拉拉不解地看着一帽子的碎蛋壳，“谁把我的鸡蛋吃了？”

“给我，趁罗宾汉还没来，我必须赶紧把鸡蛋吃了。”普老大一把将鸡蛋抢过来，扔进嘴里。

眼看着普老大就要将鸡蛋吞到肚子里了，罗宾汉问卡梅利多："情况紧急，你想变成一支箭吗？"

"变成箭？"卡门疑惑地问。

"没问题，一定要抓住坏蛋！我们是战无不胜的团队！"

唰！卡梅利多瞬间对准普老大的后背撞击过去。

“吐出来！”

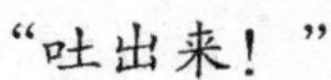

“蛋……我的！”普老大急着去抢夺鸡蛋。

恰在此时，卡门荡着藤条飞过来抓住了鸡蛋：“这是我们的！”

普老大扑了个空，狠狠地摔在地上。

“哎哟！我的鸡蛋……”

“爸爸妈妈，我们回来啦！”

“整个鸡舍都为你骄傲，我的儿子。”卡梅拉欣喜地到门口迎接。

“你实现了自己的承诺，将来一定会成为保护农场的大公鸡。”皮迪克满意地点点头。

“哇！你是我的小妹妹吧？”小凯丽开心地跑过去抱小鸡。

“欢迎来到鸡舍，远方的客人。”皮迪克招呼罗宾汉。

“谢谢！我也要感谢您的孩子们，不光帮我找到了帽子，还一同作战打败坏蛋。”

“我的小鸡，我的宝贝。”凯丽姨妈数着数，“咦，怎么少一个！”

“这个还需要再孵一下，没到时候……”卡梅利多正说着，鸡蛋突然裂开，蹦出一只小鸡。

“咕咕！”

“你是我的英雄！”小凯丽激动地亲了卡梅利多一下。

“哼，真肉麻，在拍电影吗！”小胖墩有些嫉妒。

小鸡不满小胖墩说凯丽姐姐。

“你要干什么？”小胖墩警觉到小鸡在对他挥拳头。

“放开我！放开我！”

“哎哟！”小胖墩的嘴又扎在了木门上。

“哈哈，小胖墩你要是一支箭，我的箭筒里可放不下几支。”

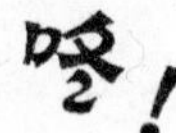

“我的援军呢？救命啊！”

卡梅利多用勇气赢得了小凯丽的吻，他确实和英国著名的侠盗罗宾汉一样勇敢，只要他带着弓箭，就什么都不畏惧。

绿林好汉罗宾汉劫富济贫、反抗权贵的侠客故事为人们所传诵。不断有作家以此为题材，写出了许多脍炙人口的佳作。例如法国文豪亚历山大·仲马创作的《侠盗罗宾汉》。传说罗宾汉躲藏在英国诺丁汉的舍伍德森林里，专门锄强扶弱，整治暴戾的贵族、官吏，把得来的钱财用于救助贫苦百姓。如今，舍伍德森林每年都会吸引来自世界各地的游客。

罗宾汉机智过人，最突出的就是射箭术高超。你知道吗，至今有一个箭术的术语叫“Robin-Hood”，指的是一箭射中前面一箭的箭尾，这正是对罗宾汉精湛箭术的写照。

亚历山大·仲马
（Alexandre Dumas，1802年—1870年）

# 不一样的卡梅拉

## 不一样的卡梅拉 第1季

1.《我想去看海》
2.《我想有颗星星》
3.《我想有个弟弟》
4.《我去找回太阳》
5.《我爱小黑猫》
6.《我能打败怪兽》
7.《我要找到朗朗》
8.《我不要被吃掉》
9.《我好喜欢她》
10.《我要救出贝里奥》
11.《我不是胆小鬼》
12.《我爱平底锅》
13.《我唤醒了睡美人》

## 不一样的卡梅拉 第2季

1.《我的北极大冒险》
2.《我要逃出皇家农场》
3.《我的魔法咒语》
4.《我发现了爷爷的秘密》
5.《我的鸡舍保卫战》
6.《我想学骑自行车》
7.《我梦游到仙境》
8.《我遇到了埃及法老》
9.《我的本命年任务》
10.《我要找回钥匙》
11.《我创造了名画》
12.《我的个人演唱会》

## 不一样的卡梅拉 第3季

13.《我学会了功夫》
14.《我坐上小飞毯》
15.《我不要撒谎》
16.《我的马拉松战役》
17.《我要炼出黄金》
18.《我想去放烟花》
19.《我的催眠树根》
20.《我讨厌小红帽》
21.《我不怕打雷》
22.《我是罗密欧》

## 不一样的卡梅拉 第4季

23.《我是大明星》
24.《我许下三个愿望》
25.《我给巨人做饭》
26.《我遇到猫国王子》
27.《我的胆子变大了》
28.《我是侠盗罗宾汉》
29.《我救了怪鸡弗斯坦》
30.《我为爸爸找回信心》
31.《我能预言未来》
32.《我下了个金鸡蛋》

**据［法］克利斯提昂·约里波瓦同名绘本动画片改编**

**图书在版编目（CIP）数据**

我是侠盗罗宾汉 / (法) 约里波瓦文；
(法) 艾利施图；郑迪蔚编译.
-- 南昌：二十一世纪出版社集团, 2015.12
（不一样的卡梅拉动漫绘本；28）
ISBN 978-7-5568-1502-9

Ⅰ. ①我… Ⅱ. ①约… ②艾… ③郑…
Ⅲ. ①动画–连环画–法国–现代
Ⅳ. ①J238.7

中国版本图书馆CIP数据核字(2015)第296674号

版权合同登记号 14-2012-443
赣版权登字—04—2015—939

**我是侠盗罗宾汉** 郑迪蔚 / 编译

**总 策 划** 张秋林
**策　　划** 奥苗文化　郑迪蔚
**责任编辑** 黄　震　陈静瑶
**制　　作** 敖　翔
**出版发行** 二十一世纪出版社集团 | 奇想熊
www.21cccc.com　cc21@163.net
**出 版 人** 张秋林
**印　　刷** 江西华奥印务有限责任公司
**版　　次** 2016年1月第1版　2016年1月第1次印刷
**开　　本** 800mm × 1250mm　1/32　**印　张** 1.5
**书　　号** ISBN 978-7-5568-1502-9
**定　　价** 10.00元

本社地址：江西省南昌市子安路75号　330009（如发现印装质量问题，请寄本社图书发行公司调换 0791-86512056）